RATUS POCHE

COLLECTION DIRIGÉE PAR JEANINE ET JEAN GUION

Les douze travaux d'Hercule

Les histoires de toujours

- Icare, l'homme-oiseau
- Les aventures du chat botté
- Les moutons de Panurge
- Le malin petit tailleur
- Histoires et proverbes d'animaux
- Pégase, le cheval ailé
- Le cheval de Troie
- Arthur et l'enchanteur Merlin
- Gargantua et les cloches de Notre-Dame
- La légende des santons de Provence
- Les malheurs du père Noël
- À l'école de grand-père
- L'extraordinaire voyage d'Ulysse
- Robin des Bois, prince de la forêt
- Les douze travaux d'Hercule
- Les folles aventures de Don Quichotte
- Les mille et une nuits de Shéhérazade
- La malédiction de Toutankhamon
- Christophe Colomb et le Nouveau Monde

 ISSN 1259 4652, ISBN 978-2-218-74279-8

Les douze travaux d'Hercule

D'après la légende grecque

Un récit d'Hélène Kérillis
illustré par Catherine Chion

HATIER

Dans la Grèce Antique, le héros qui a réalisé les douze travaux s'appelle Héraclès. Les Romains ont adopté la légende en nommant le héros Hercule. C'est sous ce nom devenu célèbre que ce personnage hors du commun est parvenu jusqu'à nous.

Les personnages de l'histoire

1

Du haut de l'Olympe où vivent les dieux, Zeus contemple les humains. Sur terre, la reine s'apprête à accoucher au palais de Thèbes. Zeus proclame avec fierté :

– Cet enfant qui va naître est mon fils ! Il sera le plus grand héros de toute la Grèce !

La déesse Héra regarde, elle aussi, ce qui se passe au palais de Thèbes, mais elle est blanche de jalousie. Cet enfant, elle le déteste de toutes ses forces. Elle le déteste car Zeus, son époux, en est le père. Un héros, ce fils conçu avec une autre femme, avec une mortelle ? Jamais ! Héra veut sa perte. Mais peut-elle empêcher la prédiction de Zeus de se réaliser ?

Héra se penche vers Thèbes. Soudain, dans une autre pièce du palais, elle aperçoit la cousine de la reine : la jeune femme attend un enfant elle aussi. Aussitôt, Héra imagine une ruse. D'abord, retarder l'accouchement de la reine. Ensuite, s'occuper de la cousine. Héra envoie aux portes du palais de Thèbes une mendiante que personne ne remarque. Pourtant, sous sa robe sans ceinture, elle cache un sortilège pour empêcher l'accouchement de la reine, une cordelette garnie de nœuds tous plus serrés les uns que les autres.

Puis Héra s'adresse à Zeus :

– Ô roi des immortels, si cet enfant devient un héros, il aura seulement la gloire… Pour un mortel, la gloire sans la puissance est bien peu de chose…

– Il aura la gloire, et il aura la puissance ! L'enfant qui naîtra avant la nuit dans la famille royale de Thèbes sera roi de toute la Grèce, j'en fais le serment !

Héra triomphe silencieusement : elle sait que même le dieu des dieux ne peut trahir un serment. Avant la nuit, a dit Zeus. Il n'y a pas un instant à perdre. Héra se penche à nouveau vers les mortels. Il reste plusieurs semaines avant que la cousine de la reine mette son enfant au monde ? Peu importe ! Héra n'est-elle pas la déesse des enfantements ? De tout son pouvoir, elle fait venir au monde le bébé de la cousine. C'est un garçon, né avant la nuit dans la famille royale de Thèbes. Zeus l'a juré : un jour, c'est lui qui sera roi ! La sage-femme le couche dans le berceau en disant :

– Il s'appellera Eurysthée !

Alors seulement le soleil passe derrière l'horizon. La nuit tombe. La vieille mendiante à la cordelette disparaît, comme happée par les ténèbres. La reine peut enfin accoucher. Ce n'est pas un enfant qu'elle met au monde, mais deux. L'un des jumeaux est le fils du roi de Thèbes. Il dort déjà sous un drap brodé. L'autre est le fils de Zeus. C'est le plus beau des deux bébés. La sage femme le couche dans le berceau en disant :

– Il s'appellera Hercule !

Huit mois ont passé. Hercule et son jumeau sont de jour en jour plus éclatants de santé. Des deux, Hercule est de loin le plus robuste. Héra voit hélas qu'Eurysthée, le cousin d'Hercule, reste petit, maigre, sans énergie. De nouveau, elle sent la jalousie lui mordre le cœur. Elle ne supporte pas l'infériorité d'Eurysthée. Hercule doit disparaître.

Une nuit, la reine de Thèbes est réveillée en

Qu'envoie Héra pour se débarrasser d'Hercule ?

sursaut. Que se passe-t-il ? Quelqu'un a-t-il crié ? Ou est-ce dans son cauchemar ? Un autre hurlement déchire la nuit. Il vient de la chambre des jumeaux ! Le sang de la reine se glace d'horreur. D'un bond, elle est debout. Le temps de saisir son épée, et le roi s'élance à sa suite.

– Des torches ! Qu'on apporte des torches ! Vite !

– Que fait la nourrice ? Pourquoi n'a-t-elle pas appelé ?

Le roi et la reine font irruption dans la chambre des bébés. Tandis que les servantes élèvent au-dessus d'eux les torches qui brûlent, ils s'arrêtent, muets de terreur. La nourrice est tassée dans un coin. Le plus petit des jumeaux ouvre des yeux immenses et pousse des gémissements. La reine se précipite vers lui, l'arrache au berceau et le serre dans ses bras. Quant à Hercule, il rit ! Dans chaque main, il tient quelque chose qu'il agite comme de longues cordes inertes : des serpents ! Deux serpents qu'il vient d'étouffer, un dans chacun de ses petits poings de bébé ! Leur tête pend vers le sol, leurs crocs n'ont pas eu le temps d'injecter leur venin mortel… Pour l'instant,

Hercule échappe à la terrible vengeance de la déesse Héra.

Les années passent. Le roi et la reine ne négligent aucun effort pour donner une excellente éducation à Hercule. Avec les meilleurs maîtres de la Grèce, l'enfant apprend à dompter les chevaux, à conduire un char, à se battre à mains nues, à tirer à l'arc, à manier l'épée. Par contre, il a peu de goût pour la musique ou la lecture. Il aime par-dessus tout vivre au grand air et exercer ses muscles dans les jeux les plus violents. Si bien qu'il devient de loin le plus grand et le plus fort de tous les jeunes gens du pays. Une vraie force de la nature : le seul jeune homme capable d'assommer un bœuf d'un coup de poing !

Son cousin Eurysthée, lui, a les bras maigres, les jambes courtes. Il n'aime ni les chevaux ni la lutte. Grâce à la ruse d'Héra, il est pourtant devenu roi de Mycènes, une ville plus puissante que Thèbes. Mais dès qu'il se sent menacé, il appelle sa garde à son secours.

Quant à Hercule, il arrive qu'une bouffée de violence obscurcisse sa raison : ses poings ne lui obéissent plus et frappent au hasard lorsqu'il se mesure à ses compagnons. Le roi se met à craindre la brutalité du jeune homme. Il l'envoie tuer les animaux sauvages qui attaquent les troupeaux, ou bien faire la guerre aux ennemis du royaume. Ainsi la force démesurée d'Hercule peut-elle s'employer utilement. Puis il se marie et il a des enfants.

Zeus s'est-il trompé en annonçant que son fils serait le plus grand héros de la Grèce ? Héra a-t-elle renoncé à sa vengeance ? Pour les dieux, les années ne durent que le temps d'un soupir. Non, Héra n'a pas oublié Hercule. La vengeance qu'elle prépare va éclater comme un coup de tonnerre…

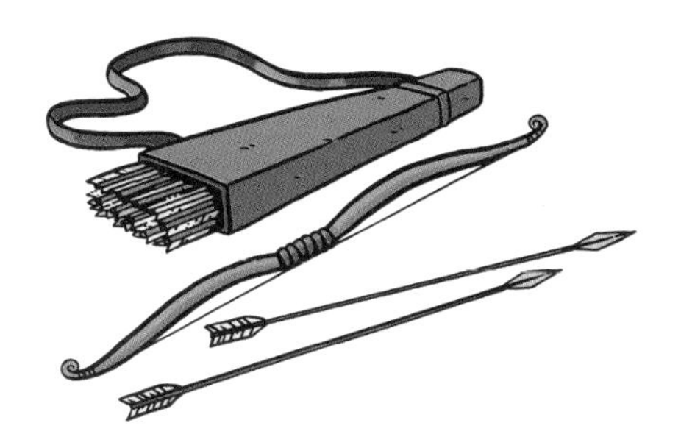

2

Depuis trois jours, Hercule s'est enfermé dans une chambre obscure. Il est assis par terre. Il ne parle pas. Il ne veut plus voir la lumière. Quand il regarde ses mains, il tremble. Il ne comprend pas ce qu'il a fait. Il ne peut pas comprendre, car c'est Héra qui l'a brusquement plongé dans une crise de folie aveugle. Hercule se souvient avec horreur de la scène épouvantable : il a rencontré des ennemis armés sur sa route. Il s'est jeté sur eux. Les ennemis le regardaient avec terreur, le suppliaient, mais Hercule frappait, frappait toujours. Il les a tous tués. Quand le dernier est tombé à terre, le voile de folie qui aveuglait Hercule s'est déchiré. Ces ennemis couchés dans la poussière, il les reconnaissait maintenant. Il reconnaissait cette épée brisée, cette sandale tachée de sang… C'étaient ses enfants, ses propres enfants qu'il venait de tuer !

Hercule tremble dans la chambre obscure en se souvenant de son crime abominable. Sa force prodigieuse, ses mains puissantes, tout cela lui fait horreur. Il veut se laisser mourir.

– Hercule ! Hercule !

Derrière la porte, on l'appelle, pour la dixième fois peut-être. Les jours précédents, il a répondu par un rugissement de douleur. Maintenant, affaibli, il ne dit plus rien. Son frère jumeau se glisse dans la pièce et s'assoit à côté de lui.

– Va à Delphes. Va consulter la Pythie, les dieux parlent par sa bouche et te diront ce que tu dois faire.

Hercule se laisse convaincre. Il part en mendiant sur les routes, misérable, désespéré. À bout de forces, il parvient à la grotte sacrée où se tient la Pythie de Delphes. La vieille femme se balance d'avant en arrière, les yeux perdus dans le vague, en écoutant l'homme qui touche ses pieds en suppliant. D'une voix brisée, il raconte le crime épouvantable, il dit l'horreur qu'il a de lui-même. Que peut-il faire de sa vie désormais ? Que veulent les dieux ? La Pythie ferme les yeux en écoutant les profondeurs de la grotte. D'une voix caverneuse, elle répond à Hercule :

– Douze travaux… Tu devras te soumettre à

À qui Hercule doit-il se soumettre ?

plus faible que toi pour accomplir douze travaux… À ce prix seulement tu seras purifié de ton crime !

– À plus faible que moi ? À qui ?

– Sur l'Olympe tu as une ennemie, Héra… Tu as aussi une alliée : la déesse Athéna, fille de Zeus… Elle te viendra en aide… 5

– À qui dois-je me soumettre ?

– Au roi de Mycènes, Eurysthée.

D'abord Hercule gémit de honte. Il va devoir s'abaisser devant ce peureux d'Eurysthée ! Devant un homme qui ne le vaut pas ! Puis Hercule pense à ses enfants morts. Une douleur aiguë le traverse. Alors il baisse la tête. Oui, il se soumettra. Il fera ce que demandent les dieux.

Dans l'Olympe, Héra savoure sa victoire : Hercule le fils de Zeus est humilié. C'est Eurysthée son protégé qui a la puissance, c'est lui qui a le pouvoir de commander à cet Hercule qu'elle déteste. 6

Eurysthée n'est pas rassuré quand la puissante silhouette de son cousin Hercule s'encadre dans la porte du palais. Il a beau être entouré de sa garde personnelle, le roi de Mycènes s'agite sur son trône, craignant un accès de folie de ce terrible cousin. Il se débarrasse de lui le plus vite possible :

– Commence par délivrer le pays du lion de Némée !

C'est un lion monstrueux qui ravage la campagne, dévore les bêtes comme les gens. Il a la réputation d'être invincible : jusqu'à ce jour, personne n'a pu seulement entamer sa peau ni lui infliger la moindre blessure.

Tandis que son cousin s'éloigne, Eurysthée calcule :

– Ou bien le lion dévorera Hercule, et adieu l'encombrant cousin. Ou bien Hercule tuera le lion et je l'utiliserai à d'autres travaux… Et c'est moi qui en tirerai gloire !

Hercule se met en route vers Némée. Plus il approche, plus le pays est désolé : ni être humain, ni bête dans les champs. Seules quelques fermes en ruine témoignent de la violence du monstre. Hercule parcourt les montagnes à sa recherche. Parfois il entend un rugissement qui se répercute d'une vallée à l'autre. Enfin il découvre la tanière de la bête sauvage : une immense caverne à deux entrées, dont le sol est couvert d'ossements. L'odeur est effroyable. Hercule se poste à l'extérieur, derrière un rocher, et il attend le retour du lion. Quand il l'aperçoit enfin, il regarde avec crainte le mufle énorme, le corps gigantesque, tout rouge du sang de sa dernière victime. Quel terrible animal ! Hercule saisit son arc et tire une volée de flèches qui atteignent leur but. Mais elles rebondissent sur la peau épaisse du lion sans lui faire aucun mal. L'animal se contente de secouer sa crinière en bâillant. Alors Hercule se jette sur lui, l'épée au poing. L'arme plie. L'animal rugit et jette un coup de patte impatient à son ennemi. Hercule évite les griffes monstrueuses, brandit sa massue et l'abat de tout son poids sur le crâne de la bête. Si le lion n'avait pas eu le ventre plein, il aurait certainement attaqué. Mais ce jour-là, rassasié, il rentre chez lui sans accorder plus d'intérêt à cet humain, peut-être un peu plus fort, un peu plus courageux que les autres mais tout aussi inefficace.

Hercule, désemparé, contemple ses armes inutiles. La force ne suffit pas. Comment venir à bout du lion de Némée ? C'est alors que la déesse Athéna lui souffle une idée. Pendant la nuit, Hercule ferme une des deux issues de la caverne : ainsi il est sûr que le lion ne pourra lui échapper. Au lever du jour, il entre dans la tanière, les mains nues, décidé à affronter le monstre corps à corps. Dès que ses yeux sont habitués à l'obscurité, il se jette sur le lion encore somnolent et le serre dans l'étau de ses bras. L'animal rugit, et l'air s'évacue de ses poumons. Plus il rugit, plus ses poumons se vident, sans pouvoir se remplir à nouveau tant Hercule le serre fort contre sa poitrine. Quand Hercule relâche enfin sa prise, le lion glisse à terre, étouffé.

À grand peine, Hercule le traîne à l'extérieur de la caverne. Comment retourner à Mycènes avec une bête pareille ? Le mieux serait de vider l'animal pour n'emporter que la peau. Mais rien ne parvient à l'entamer, ni pierre tranchante, ni métal, ni feu. Soudain Hercule a une inspiration : il saisit une des pattes de l'animal, appuie sur le coussinet pour faire ressortir une griffe et réussit à entamer la peau. Une fois le lion dépecé, Hercule se revêt de la peau qui désormais le protègera comme une cuirasse.

La nouvelle de son exploit est déjà parvenue au palais d'Eurysthée. À la fois épouvanté et stupéfait par la force d'Hercule, le roi de Mycènes a donné l'ordre de forger une immense jarre en bronze. Si son cousin est pris d'un accès de folie, Eurysthée se réfugiera dans cette cachette. Mais le mieux est de ne pas ouvrir les portes de la cité à Hercule. C'est du haut des remparts qu'Eurysthée donnera ses ordres.

C'est ainsi que se conclut le premier des douze travaux d'Hercule.

3

Depuis qu'Hercule a vaincu le lion de Némée, on admire sa force et son courage. La déesse Héra se dit qu'un échec retentissant briserait sa renommée naissante. Elle souffle à Eurysthée l'idée du deuxième travail imposé à Hercule :

– Envoie-le détruire l'hydre de Lerne !

C'est un monstre aquatique qui vit dans les marais sans fond de Lerne. Personne ne sait exactement de quoi il a l'air. On dit seulement qu'il possède plusieurs têtes qui repoussent chaque fois qu'on les coupe, ce qui le rend immortel.

Lorsqu'il arrive à Lerne, Hercule est frappé par l'aspect sinistre du paysage. Au bord d'une forêt si touffue que le jour n'atteint pas le sol, s'étend un marais aux eaux noires. Des volutes de brouillard s'enroulent autour des herbes raides qui poussent sur le bord. Un peu plus loin, on distingue quelques arbustes rabougris, puis tout est noyé dans la brume. Hercule pose un pied sur une motte de terre. Aussitôt, elle s'enfonce et il sent la vase aspirer sa cheville, son mollet, bientôt sa jambe, sa cuisse. Vite, Hercule s'agrippe à une branche qui surplombe le bord du marais de Lerne. Il tire de toutes ses forces luttant contre les sables mouvants prêts à l'avaler tout entier. Peu à peu, dans un bruit de succion, il réussit à s'arracher au marais, il se jette épuisé sur le bord. Tandis que sa respiration reprend un rythme normal, il réfléchit. Impossible de s'aventurer à pied. Impossible de se déplacer en barque : il n'y a pas assez d'eau. Comment faire ?

Hercule s'installe en bordure du marais. Il coupe un arbre et taille des flèches. Ensuite, il rassemble des pierres et allume un feu. S'il ne peut aller à l'hydre, il faut que l'hydre vienne jusqu'à lui. Une fois que ses flèches sont prêtes, Hercule les enflamme et se prépare à les lancer le plus loin possible dans le brouillard qui noie le marais. Il tend l'arc et lâche la corde qui résonne en vibrant. Il suit le point lumineux qui disparaît presque aussitôt dans le brouillard. L'hydre va-t-elle se montrer ? Hercule écoute. La brume atténue tous les bruits. De nouveau

Hercule lance des flèches vers le cœur invisible du marais. Cette fois, il perçoit quelque chose. Ni rugissement ni grognement. Seulement le chuintement d'une bête qui s'extrait de la vase. Il distingue des formes imprécises qui ondulent au-dessus du marais. Il n'y a pas un monstre, mais deux, cinq, sept têtes de serpent qui surgissent de la brume ! Avec un bruit de clapotis, un corps unique apparaît, large comme un tronc d'arbre, enroulé en anneaux et couvert d'écailles.

14

En apercevant un homme sur le bord du marais, l'hydre agite ses têtes en sifflant. Rapides comme des ressorts, ses cous se détendent. Maintenant les gueules du monstre s'ouvrent, surplombant le misérable humain qui, vu de si haut, semble minuscule. De ses sept museaux, l'hydre souffle sur lui un air empoisonné. Hercule fléchit les genoux, à demi asphyxié. Terrifié, il sent le monstre s'enrouler autour de ses jambes pour le faire tomber et l'entraîner dans une mort horrible, la bouche et les poumons remplis de vase. D'une main, Hercule s'accroche désespérément à une branche d'arbre et de l'autre, il se défend et coupe une des têtes : elle tombe avec un bruit

15 flasque. À peine est-elle coupée que le sang cesse de gicler : les chairs repoussent et de nouveau la tête menace Hercule ! Comment empêcher les têtes de repousser ? L'hydre secoue Hercule pour l'arracher à la branche à laquelle il se cramponne. Le héros lâche prise. L'hydre le projette alors dans les airs, prête à l'entraîner au fond du marais. Mais Hercule a eu le temps de saisir une bûche enflammée. À grands coups d'épée il coupe les têtes et applique aussitôt le feu sur la blessure. Les chairs grésillent et les cous retombent, sans force et définitivement incapables de repousser.

16 L'hydre continue à se contorsionner dans tous les sens : il lui reste une seule tête, la plus grosse et la plus terrible, qui se penche vers Hercule en ouvrant grand ses mâchoires. Il rassemble ses forces et d'un coup d'épée fait rouler sur la terre ferme la dernière tête. Alors le corps de l'hydre s'effondre. Prenant appui sur le cadavre, Hercule arrive à regagner le rivage d'un bond. Même coupée, la dernière tête continue à siffler et à rouler sur elle-même. Le vainqueur creuse un immense trou, y fait tomber la tête et place par-dessus un énorme rocher. Enfin Hercule lave et

Avec quoi Hercule réussit-il à tuer l'hydre de Lerne ?

relave ses mains. Il veut pouvoir à nouveau les regarder sans trembler. Il veut que la cruauté sanguinaire du combat s'apaise en lui.

Quand Hercule est de retour à Mycènes, Eurysthée n'a qu'une envie, l'envoyer ailleurs le plus vite possible. Du haut des remparts, il lui crie cet ordre :

– Pour troisième travail, rapporte-moi la biche de Cérynie. Vivante !

Et il pense : « Cette fois, me voilà débarrassé pour longtemps. Puisqu'il ne doit pas la tuer, Hercule devra courir pendant des jours et des jours derrière cette bête qu'on dit aussi rapide que le vent ! Peut-être ne la rattrapera-t-il jamais ? Peut-être ne reviendra-t-il jamais ? »

Sans le savoir, Eurysthée vient de faire à son cousin un cadeau inespéré : cette fois, Hercule ne doit pas tuer. Il ne risque pas de perdre la conscience de lui-même dans une crise de folie, ni de réveiller ses terribles souvenirs. Il peut partir en chasse délivré de cette angoisse.

Il se rend à Cérynie. Là, sur une montagne sauvage, vit une biche aux cornes d'or, animal superbe consacré à la déesse de la lune. La blesser ou la tuer serait un sacrilège. Aussi Hercule se lance-t-il à sa poursuite, sans savoir combien de temps il devra la suivre, sans savoir si un jour il pourra la capturer.

Pendant des mois, il franchit à sa suite des montagnes, des vallées, des fleuves. Il remonte jusqu'au nord, chez les Hyperboréens, là où le soleil ne se lève jamais. Hercule ne pense plus à Eurysthée. Il ne souffre plus d'être soumis à cet homme qui ne le vaut pas. Il poursuit la biche inlassablement. Dans ce long chemin, il apprend la patience. Parfois la biche s'arrête. Elle regarde l'homme qui la poursuit. Hercule la regarde aussi. Les yeux de l'animal semblent vouloir lui dire quelque chose.

Enfin, un jour, la biche épuisée s'arrête au bord d'une rivière. De nouveau, elle regarde l'homme qui la poursuit. Maintenant Hercule comprend ce que disent les yeux de l'animal : il faut du temps pour apprendre à se dominer, il faut du temps pour accepter son destin.

Hercule prend son arc. Il vise avec beaucoup de soin. Il ne veut pas blesser la biche, il ne veut pas lui faire de mal. La flèche qu'il envoie vient se ficher entre l'os et le tendon d'une patte, sans que soit répandue une seule goutte de sang. La biche est comme paralysée. Hercule la fait prisonnière et la ramène à Mycènes.

Eurysthée jette un coup d'œil du haut des remparts. Malgré sa jalousie il ne peut s'empêcher d'admirer Hercule. Mais surtout, il en a peur. Il retourne vite s'enfermer dans son palais. Et il envoie un garde qui lance cet ordre à Hercule :

– Pour quatrième travail, il faut capturer vivant le sanglier d'Érymanthe !

4

Depuis qu'un sanglier d'une taille gigantesque s'y est installé, le mont Érymanthe est dévasté : la bête arrache les cyprès qui poussent sur les pentes, défonce les chemins et les prairies. L'hiver touche à sa fin et les paysans s'inquiètent : les récoltes vont être ravagées avant de sortir de terre. Ils ont fait des battues, sans réussir à trouver le sanglier. Cependant, aux empreintes que ses sabots laissent sur le sol, ils devinent qu'il s'agit d'un animal énorme. Hercule est déjà venu à bout de plusieurs monstres et son arrivée est attendue avec impatience par tous les habitants d'Érymanthe. On lui montre les marques, on lui propose de l'aide, mais Hercule renvoie chacun chez soi. Ce quatrième travail, il doit l'accomplir seul.

Pendant plusieurs semaines, il piste le sanglier. Mais la bête est rusée. Chaque fois qu'il suit des marques fraîches, Hercule ne trouve au bout qu'un carré de terre retourné sens dessus dessous :

le sanglier a disparu dans les broussailles alentour. Un jour cependant, Hercule finit par apercevoir une ombre gigantesque, à l'abri d'un buisson d'épines si épais qu'il est impossible à un être humain d'y pénétrer. Comment s'y prendre ? C'est alors que de gros flocons se mettent à tomber du ciel : Hercule comprend qu'Athéna lui vient en aide. Il doit faire de cette neige une arme ou un piège.

Mais il faut déloger le sanglier. Les mains en cornet devant sa bouche, Hercule se met à pousser des cris puissants. La montagne résonne, comme si un fauve rugissait. Alors le sanglier surgit du fourré et fonce comme un bolide. Hercule s'élance à sa suite, tantôt le débordant par la gauche, tantôt par la droite, l'obligeant ainsi à prendre la direction qu'il a choisie : le versant le plus au nord, le versant le plus enneigé. L'animal tente d'égarer son poursuivant avec de brusques crochets dans sa trajectoire. Plusieurs fois, il manque de s'échapper. À bout dc souffle, Hercule finit pas l'obliger à foncer dans la neige : le sanglier a les pattes si profondément enfoncées qu'il ne peut plus avancer. Aussitôt, Hercule lui saute sur le dos et se cramponne des pieds et des mains au poil épais. L'animal essaie de se dégager avec de brusques ruades. Hercule est ballotté d'un côté sur l'autre, mais il ne lâche pas prise. Il pèse de tout son poids sur l'animal, il l'oblige à tomber sur le côté malgré les coups de sabots contre ses côtes. D'un geste précis, Hercule réussit à passer une chaîne autour des pattes de l'animal. Essoufflé, suant, il regarde cette bête sauvage qu'il a su maîtriser, ce sanglier à l'œil injecté de sang, au poil dur comme une brosse. Hercule sent confusément, qu'en lui-même aussi, la force sauvage doit être maîtrisée.

Il charge la bête enchaînée sur son dos et l'apporte à son cousin. Eurysthée risque un œil par-dessus les remparts de Mycènes. Il voit Hercule jeter à terre le gigantesque animal. S'il allait le libérer ? À cette idée, Eurysthée est pris de panique. Il s'enfuit au palais en marmonnant :

– Comment, mais comment me débarrasser de cet épouvantable Hercule que tout le monde acclame ?

Héra lui suggère une idée. Un peu plus tard, Eurysthée envoie un garde à son cousin tandis qu'il imagine avec satisfaction le travail sale et humiliant qu'il va imposer à Hercule : racler de la bouse de vache et pelleter du crottin de cheval. L'ordre tombe du haut des remparts :

– Pour cinquième travail, il faut nettoyer en un seul jour les écuries du roi Augias !

De toute la Grèce, Augias est le roi le plus riche en têtes de bétail : il possède par centaines taureaux, vaches, veaux, juments, chevaux. Or le fumier de toutes ces bêtes n'a pas été enlevé depuis près de cinquante ans. Une puanteur horrible se dégage des écuries où les bêtes se mettent à l'abri quand elles ne sont pas aux champs. Hercule n'a pas besoin d'entrer pour imaginer l'écœurant chantier qui l'attend. Au lieu de s'approcher, il contourne les écuries en décrivant de larges cercles qui lui permettent, du haut d'une colline, d'avoir une vue d'ensemble du paysage. Il note que le bâtiment des écuries, tout en longueur, est construit dans un vallon, et que deux fleuves coulent non loin. Athéna veille toujours sur le héros. Elle imprime dans la tête d'Hercule les détails du paysage. Puis il redescend dans la vallée et se présente au roi Augias :

– Je suis Hercule et je viens te proposer un marché : en échange d'un dixième de ton troupeau, je nettoierai seul les écuries avant la nuit ! Qu'en dis-tu ?

– Seul ? Avant la nuit ? Ha ! Ha ! Ha ! Phylée, mon fils ! Viens donc écouter ce fou prétentieux !

Augias rit encore quand son fils aîné le rejoint. Hercule répète sa proposition devant témoin. Augias cesse de rire. Il se dit qu'il n'a rien à perdre. Cet Hercule, aussi fort soit-il, ne réussira pas seul et en un jour un travail où cinquante hommes et cinquante jours seraient nécessaires. S'il conclut le marché, il gardera la totalité de ses bêtes, une partie des écuries sera nettoyée gratis et il pourra raconter une bonne histoire à tous ses amis.

– Jure d'accomplir ce travail seul et avant la nuit !

– Jure de me payer comme je l'ai demandé !

Hercule et Augias prononcent les serments, avec Phylée pour témoin. Sous l'œil amusé du roi, le héros se dirige vers les écuries. Mais il n'y entre pas. Il saisit sa massue et de l'extérieur, il abat deux pans de mur, ouvrant une brèche côté colline et une autre côté vallée dans le bâtiment tout en longueur. Puis il disparaît dans la nature sans avoir enlevé une seule pelletée de fumier.

– La brute ! Il va me le payer !

Augias lancerait bien ses gardes à la poursuite d'Hercule, mais son fils intervient :

– Il fait grand jour. Attendons la suite. Il sera toujours temps, à la nuit tombée, de rattraper le fuyard et de lui faire payer son parjure.

L'après-midi s'éternise et rien ne se passe. Phylée commence à penser que son père avait raison. Augias ne décolère pas. Et soudain, alors que le soleil descend déjà sur l'horizon, un bruit étrange jette les deux hommes hors du palais. Des collines avoisinantes s'élève un grondement sourd et la terre frémit sous leurs pieds. Pas d'Hercule en vue. Mais Phylée pointe le doigt vers la partie haute des écuries :

– Là ! Elle… Elle arrive !

Et sous les yeux écarquillés d'Augias et de son fils, apparaît une vague géante qui dévale des collines, s'engouffre dans la brèche haute ouverte par Hercule, jaillit de la brèche basse, balaye tout sur son passage. Pour laver à grande eau les écuries d'Augias, Hercule a détourné le

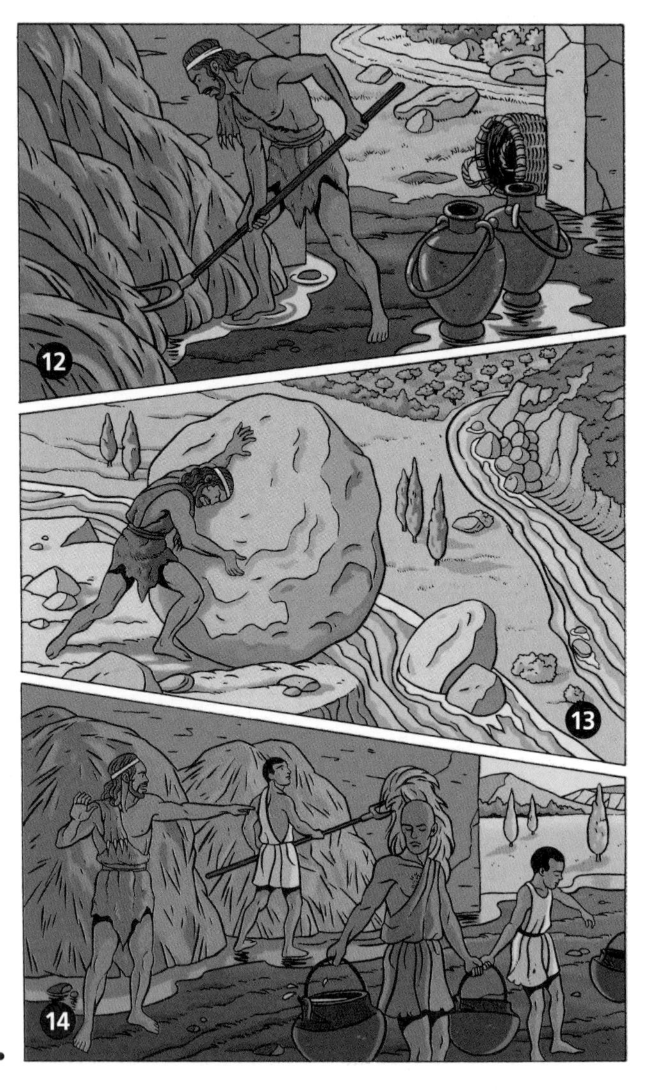

Comment Hercule nettoie-t-il les écuries d'Augias ?

cours des deux fleuves ! Le flot emporte le fumier des animaux et le répand au loin sur les champs pour les fertiliser. Hercule vient vérifier l'état de propreté des lieux puis disparaît à nouveau. Peu après, l'eau cesse de couler : les fleuves ont repris leur cours normal.

Le soir est tombé lorsque le héros se présente au palais d'Augias :

– Ô roi, j'ai accompli ce que j'ai annoncé, seul et en un seul jour. À toi maintenant de tenir ton serment ! Tu me dois un dixième de ton troupeau !

– Jamais ! Je garde tout ! Va-t'en !

Le premier mouvement d'Hercule serait d'assommer ce mauvais roi. Mais il ne veut plus se laisser emporter par la violence. Alors il propose :

– Que des juges s'assemblent et nous écoutent ! Je me soumettrai à leur verdict !

Le lendemain, une cour de justice se tient au palais. Augias nie tout marché entre Hercule et lui. Mais Phylée, cité comme témoin, répond ainsi au juge qui l'interroge :

– Que les dieux me protègent ! Je ne peux dire autre chose que la vérité : le roi mon père a convenu d'une tâche avec Hercule, il a bien prononcé un serment.

– C'est une tromperie ! Hercule n'a rien fait tout seul ! Ce sont les dieux des fleuves qui ont mené à bien le nettoyage ! hurle Augias.

Et furieux, il renverse la table des juges, appelle ses gardes, chasse Hercule et Phylée, son propre fils. Hercule subit l'affront et part sans sa récompense. Mais il espère bien qu'un jour, les dieux puniront ce roi parjure et mettront Phylée sur le trône à la place de son père.

5

Autour du lac Stymphale vit une colonie d'oiseaux que tout le pays redoute. Régulièrement, ils se lèvent par bandes, en si grand nombre qu'ils obscurcissent le ciel. Ils se jettent sur les bêtes et les hommes pour les déchiqueter de leur bec. Les habitants ont dû fuir, abandonnant leurs maisons et leurs champs. C'est au bord de ce lac qu'Eurysthée a envoyé Hercule :

– Voici le sixième des travaux : détruire les oiseaux du lac Stymphale.

Caché dans la forêt qui entoure l'étendue d'eau, Hercule observe les oiseaux. Il y en a des milliers. Leur bec, leurs griffes et leurs plumes brillent d'un éclat métallique : ce sont autant d'armes, aiguisées comme des couteaux. Hercule ne bouge pas. Il sait que si un seul des oiseaux le repère, il finira transpercé de coups de bec, jusqu'à ce que mort s'ensuive. Comment lutter contre des ennemis qui ont tous les avantages :

le nombre, la rapidité, la maîtrise du ciel ? Cette fois, Athéna sait qu'une simple idée soufflée à son protégé ne sera pas suffisante. Elle descend de l'Olympe et s'adresse à Hercule :

– Reçois ce présent fabriqué pour toi par Héphaïstos, le dieu forgeron. Il produit un son divin qui te sera d'un grand secours. N'oublie pas cependant que la réussite dépend de la précision de tes flèches !

La déesse disparaît aussi vite qu'elle est apparue, laissant entre les mains d'Hercule un objet étrange : deux coques de métal creuses d'un côté, bombées de l'autre et rattachées en haut par un lien de cuir. Hercule se demande comment elles pourront l'aider à tuer les oiseaux maléfiques quand l'une des coques heurte l'autre. Il en résulte un son effrayant qui modifie immédiatement le comportement de la colonie : les oiseaux sont visiblement inquiets. Hercule comprend alors ce qu'il doit faire.

Il commence par ranger les coques en prenant soin de ne pas les entrechoquer. Puis il quitte les bords du lac et se poste sur un éperon rocheux d'où il domine la colonie d'oiseaux. Il prépare des centaines de flèches, disposées bien à sa

24

portée. Maintenant, le combat peut commencer. Hercule ne sait pas s'il pourra tenir jusqu'au bout, mais il lui faut au moins tenter d'accomplir ce sixième travail. Il saisit les coques de métal et les heurte l'une contre l'autre avec force. Il se produit un vacarme si épouvantable qu'il domine la clameur de tous les oiseaux réunis. Une vague de panique secoue la colonie tout entière. Les bêtes s'envolent par bandes successives et passent au-dessus de l'éperon rocheux où se tient Hercule. Il les vise de ses flèches précises, et les oiseaux tombent en masse tout autour de lui. Mais plus il en tue, plus il en vient, qui tournoient, s'éparpillent, se heurtent en vol, fous de terreur, ou plongent vers lui, bec en avant.

Enfin, le ciel semble se dégager. Hercule ne sent plus ses bras tellement il a tiré sur son arc. Et brusquement, alors qu'il croit en avoir fini, une nouvelle vague d'oiseaux fond sur lui en obscurcissant le ciel jusqu'aux ténèbres. Hercule bascule à terre, inconscient.

Quand il rouvre les yeux, le ciel est vide : la vague d'oiseaux qu'il a cru voir n'était que le produit de son imagination et de sa fatigue. Il ne reste plus un oiseau sur les bords du lac Stymphale. Ceux qui ont échappé aux flèches ont quitté le pays pour toujours.

Eurysthée grince des dents en apprenant la nouvelle. Puisque son cousin échappe à tous les dangers, puisqu'il n'y a pas moyen de l'éliminer, Eurysthée décide de mettre le plus de distance possible entre eux : qu'Hercule parte au-delà des mers. Qu'il quitte le continent.

– Pour septième travail, qu'il aille en Crète se mesurer au fameux taureau ! Qu'il essaie de le capturer, s'il peut !

Le messager porte l'ordre à Hercule. Eurysthée se frotte les mains, sûr d'avoir éloigné son cousin pour toujours :

– Il n'y arrivera jamais…

Il faut plusieurs étapes à Hercule avant de débarquer sur le sol de la Crète, une île lointaine perdue au milieu de la Méditerranée. Le roi de Crète, Minos, le prévient :

– Personne n'a jamais réussi à dompter ce taureau ! Dès qu'on l'approche, il devient furieux et brûle tout avec ses naseaux qui crachent des flammes !

Hercule comprend qu'il va devoir affronter une bête puissante, féroce. Il ne sait pas s'il en viendra à bout. Mais il lui faut vaincre cet animal s'il veut, un jour, échapper à Eurysthée. Hercule part à la recherche du taureau. Il arpente l'île en cherchant des traces. Parfois, il aperçoit des empreintes de sabots profondément marquées dans le sol. Parfois, il traverse des champs calcinés. Partout les gens se détournent de lui, effrayés, dès qu'il annonce qu'il est à la recherche du taureau sauvage. Hercule ne doit compter que sur lui-même. Le soir il s'arrête, fatigué d'avoir parcouru l'île. Il sent une angoisse profonde quand il entend des meuglements résonner dans la nuit. Saura-t-il dominer l'animal ?

Lorsque le taureau lui apparaît enfin, Hercule reste saisi d'une admiration mêlée de peur : c'est une bête magnifique, à la musculature prodigieuse, à la splendide robe blanc crème. Mais dans ses yeux brille une sauvagerie qui fait froid dans le dos. Le taureau observe cet homme vêtu d'une peau de lion qui le fixe, une énorme massue à la main. Ce regard, c'est un défi pour le taureau. Il se met à racler le sol de son sabot, il arrache de la terre, il souffle des flammes par les naseaux. Brusquement, il se penche en avant et fonce sur cet audacieux qui lui tient tête, ses sabots martelant le sol avec un bruit de tonnerre. Cet adversaire, il va lui passer ses cornes en travers du corps.

Quel adversaire ? Les cornes n'ont traversé que l'air. L'homme à la peau de lion n'est plus là. Le taureau se détourne d'un bond, faisant trembler le sol sous lui. Si, l'homme est encore là. Il a seulement changé de place. Il était devant, il s'est jeté de côté. Le taureau revient à la charge et son adversaire évite à nouveau les tonnes de muscles qui fondent sur lui. Alors, ivre de rage, la bête meugle, écume aux lèvres, yeux injectés de sang, et fonce dans n'importe quelle direction, tandis que de longues flammes lui sortent par les naseaux. Hercule voit en face de lui l'horrible image de la force brutale, le reflet de sa propre violence. C'est par son courage qu'il doit en venir à bout.

À la troisième tentative, le taureau n'a pas le temps de comprendre ce qui lui arrive. Son adversaire le saisit par les cornes, s'agrippe à son dos, le maintient dans sa poigne de fer. Utilisant les cornes pour le guider, il oblige le taureau à descendre dans l'eau. Puis il éperonne les flancs de la bête et traverse la mer jusqu'à Mycènes. Le taureau furieux est maintenant domestiqué. Hercule a su maîtriser cette force de la nature, sans tuer, sans être dépassé par une violence aveugle. Quelle victoire sur lui-même !

C'est avec orgueil qu'il interpelle Eurysthée, pâle en haut de ses remparts :

– Moi, Hercule, je te ramène le fameux taureau de Crète, un animal digne des dieux ! Es-tu capable de venir seulement le toucher ?

Sans répondre, Eurysthée regagne son palais.

6

– La Crète, ce n'était pas assez loin… Où l'envoyer ? En Thessalie ? En Épire ? Et pour quoi faire ?

Eurysthée tourne en rond dans son palais. Il ne supporte pas la présence d'Hercule : son courage lui fait trop de tort. Il a beau réfléchir longuement, aucune idée ne le satisfait. Où envoyer ce maudit cousin ? Soudain une histoire qu'un voyageur lui a rapportée il y a longtemps revient à la mémoire d'Eurysthée. Il existe, loin au nord, un roi sanguinaire qui possède des juments tout aussi sanguinaires que lui : elles mangent de la chair humaine.

– Voyons… Où est-ce ? Comment s'appelle ce roi ?

Eurysthée fouille dans sa mémoire. Héra, qui n'oublie pas sa haine, lui vient en aide. Il se souvient maintenant. C'est en Thrace. Très loin de Mycènes. Eurysthée appelle un garde.

Et l'ordre du huitième travail parvient à

Hercule qui attend en bas des murailles de la cité :

– Il faut capturer les juments de Diomède !

C'est ainsi que le héros s'embarque à nouveau sur la Méditerranée. Le navire qui a accepté de l'emmener longe de nuit le rivage de la Thrace. Les marins répètent à Hercule ce que tout le monde raconte :

– Le roi Diomède est un fou sanguinaire. Ses valets aussi !

– Tous les étrangers sont poursuivis, capturés et immédiatement donnés en pâture aux juments : elles les dévorent tout vifs.

Aussi Hercule doit-il se jeter à l'eau pour gagner la rive à la nage car pour rien au monde le capitaine ne veut que son bateau aborde en Thrace. Le roi Diomède a maintenu ses quatre juments attachées par des chaînes de fer depuis leur naissance et il les a rendues carnivores en mêlant du sang à leur alimentation. C'est la folie du roi qui en a fait des bêtes folles, des bêtes contre nature.

Il fait toujours nuit noire quand Hercule sent la terre ferme du rivage sous ses pieds. Quant au

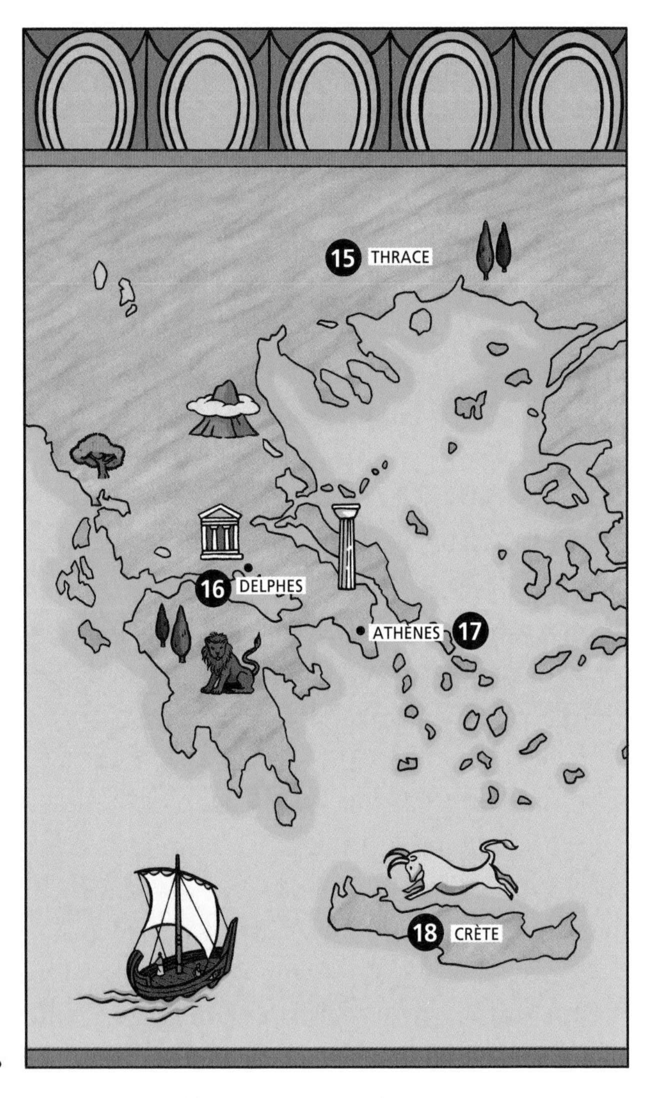

De quel lieu Diomède est-il le roi ?

navire, il a disparu dans les ténèbres. Le héros avance en pays inconnu, mais il repère vite le palais du roi, construit sur une hauteur d'où il domine la ville. Hercule s'approche, attentif à chaque sentinelle. Il les évite toutes et parvient aux écuries. Maintenant, il s'agit de savoir combien d'hommes gardent les bêtes. Hercule fait le tour du bâtiment sans rencontrer personne. Les valets doivent être à l'intérieur. Et ils doivent dormir sur leurs deux oreilles : qui tenterait d'entrer dans les écuries au risque de se faire dévorer ? Hercule, lui, osera. Il sait que si on le découvre, il n'échappera pas à une mort horrible. Il faut donc ouvrir la porte sans un bruit, entrer en retenant sa respiration, poser chaque pied sur le sol avec précaution, se glisser le long du mur. Soudain, Hercule s'arrête. Les juments ont l'oreille plus fine que les humains. Elles ont bougé. Une chaîne tinte doucement contre une mangeoire. Debout près d'un ballot de paille, Hercule attend que les bêtes se calment. C'est alors qu'il entend la paille crisser à côté de lui : un des valets est là, tout près ! Il vient de se retourner dans son sommeil. Hercule s'immobilise, la respiration de nouveau suspendue. Des yeux, il continue son inspection des lieux. Il repère trois autres valets dont deux près d'une porte. C'est par eux qu'il faut commencer, pour qu'ils n'aillent pas donner l'alerte.

Un froissement dans la paille, et les deux hommes sont assommés. Le troisième valet n'a pas le temps de se mettre debout que le héros se jette sur lui. Les deux hommes roulent dans la poussière. Le dernier valet se réveille à son tour et s'attaque à Hercule. La bataille réveille complètement les juments. Maintenant, elles tirent sur leurs chaînes et raclent le sol de leurs sabots. Hercule sait que si elles se mettent à hennir, l'alerte sera donnée et il finira déchiqueté par les juments. C'est pourquoi il se bat avec une énergie désespérée, jusqu'à ce que les valets soient étendus à terre et réduits au silence.

Quand le jour se lève sur le royaume de Diomède, on constate la disparition des quatre juments. Une foule de gens, soldats, simples habitants, tous aussi barbares que le roi, viennent soutenir Diomède : ils veulent garder leurs juments carnivores, ils veulent se débarrasser de tous les étrangers indésirables qui viennent chez eux.

– À mort ! À mort les voleurs !

La piste des bêtes est facile à suivre : les marques des sabots se sont imprimées dans la terre, puis dans le sable jusqu'à la mer. Des pas d'homme les accompagnent. Un seul homme ! Comment a-t-il pu venir à bout des quatre valets d'écurie, les plus costauds qu'on ait pu trouver dans le royaume ? Du sommet de la dune, Diomède et la foule qui l'accompagne aperçoivent soudain les quatre juments attachées sur une colline non loin de l'eau. Elles sont seules. Il suffit de descendre dans les basses terres protégées par la digue, de remonter sur la colline et de récupérer les quatre bêtes. Le voleur a dû prendre la fuite, effrayé de sa propre audace.

– Dommage, je l'aurais bien donné à dévorer à mes juments ! grommelle Diomède.

Le roi et la foule dévalent la pente jusqu'au fond du vallon. Et soudain, dans un grondement terrible, une masse d'eau vient balayer les basses terres, noyant les trois quarts des gens sur son passage. Les survivants tentent de s'agripper à n'importe quoi en hurlant de terreur. Diomède et quelques soldats réussissent à échapper aux flots déchaînés. Essoufflés, dégoulinants, ils prennent pied sur la colline où sont les juments. Alors qu'ils se croient sains et saufs, une voix les cloue sur place :

– C'est moi, Hercule, qui viens libérer les juments !

Diomède comprend alors que ce voleur a provoqué le raz de marée en rompant les digues qui protégeaient les basses terres. Et que lui, le roi, est tombé dans le piège ! Il hurle de rage et se précipite sur son ennemi :

– Tout Hercule que tu sois, je te donnerai à dévorer tout cru à mes juments dès que tu seras en mon pouvoir !

Diomède et ses gardes se précipitent sur Hercule. Le héros atteint le roi qui tombe à demi assommé au pied de ses juments, puis il tente de tenir tête aux soldats, mais ils sont si nombreux qu'il plie sous le choc. Déjà, il pose un genou en terre, un garde se jette sur lui. Mais alors retentit un cri d'effroi qui pétrifie les soldats. Ils jettent leurs armes et s'enfuient en hurlant de terreur. Alors Hercule se tourne vers les juments et un frisson d'épouvante le parcourt : de leurs énormes dents, les juments déchiquètent le roi en hennissant, le museau sanglant, les yeux rouges de sauvagerie. Hercule regarde avec horreur à quoi mène une violence incontrôlée. Le roi meurt, victime de sa propre barbarie. Alors les juments s'apaisent, comme si un sortilège était rompu.

Quand Hercule les ramène à Eurysthée, ce sont de belles et paisibles juments qui entrent au royaume de Mycènes.

C'est Admète, la fille d'Eurysthée, qui suggère à son père le neuvième des travaux qu'il impose à Hercule. Pour sa parure, elle aime les choses belles et rares. Voici ce qu'elle demande :

– Je veux la ceinture d'Hippolyté, la reine des Amazones !

– Ces femmes qui habitent en Asie ? À l'autre bout du monde ? Excellente idée !

Depuis les temps les plus anciens, un peuple de femmes indépendantes et fières, les Amazones, vit sur les bords du Pont Euxin. On raconte que ce sont elles, les premières, qui domestiquèrent les chevaux et apprirent à les monter, avant que le peuple des hommes ne les imite. On raconte aussi que lorsqu'elles ont des enfants, elles donnent les garçons aux peuples voisins ou bien en font des esclaves. Elles ne gardent que les filles qui deviennent à leur tour des femmes guerrières, habiles à monter à cheval et à tirer à l'arc. Les Amazones gouvernent de grandes cités. Mais c'est dans la capitale, Thémiscyra, que règne Hippolyté, une reine puissante et déterminée. Sa robe courte est maintenue à la taille par une ceinture incrustée d'or, la ceinture que désire la fille d'Eurysthée.

Ce matin, Hippolyté descend à cheval vers le port de Thémiscyra. On vient de signaler l'arrivée d'un navire étranger. Vu son état, il vient de loin et il a dû traverser plusieurs tempêtes sur sa route. À son bord, il y a une dizaine d'hommes. Les Amazones ne veulent pas d'eux chez elles. S'ils se montrent agressifs, ce sera la guerre. S'ils ont besoin d'eau ou de nourriture, qu'on leur en donne, et qu'ils repartent au plus vite. Hippolyté s'arrête devant le groupe de navigateurs descendus à terre. L'un d'eux, visiblement leur chef, est remarquable par sa musculature impressionnante. Il est vêtu d'une peau de lion et porte pour toute arme une massue : la reine le reconnaît à la description que ses gardes lui ont faite.

– Je me nomme Hercule, et je te salue, ô reine des Amazones, puissante Hippolyté !

L'étranger se tient debout, entouré de ses compagnons qu'il domine d'une tête. Il parle en regardant la reine dans les yeux. Elle ne voit en lui ni lâcheté, ni mépris, ni vanité, défauts habituels chez les hommes. La reine descend de cheval.

– Que viens-tu faire dans mon royaume ?

Hercule raconte ses accès de violence incontrôlée, ses crises de folie provoquées par Héra, le meurtre horrible de ses propres enfants, ses efforts pour se dominer, la soumission à Eurysthée, un roi plus faible que lui, pour se laver de ses crimes, les épreuves qu'il lui impose…

– Cette fois, c'est ta ceinture, ô reine, que le roi de Mycènes m'envoie chercher ici.

Hercule et Hippolyté se regardent, deux héros à égalité. Entre eux comme entre chefs de cités, de grands cadeaux scellent traités de paix et amitié. Hippolyté ne veut pas de mal à cet

Quel objet Hercule demande-t-il à la reine des Amazones ?

Hercule au regard juste. Elle accepte à condition qu'il reparte au plus vite avec son équipage. Elle pose déjà la main sur le fermoir de la ceinture.

Mais, du haut de l'Olympe, Héra voit tout. Elle ne l'entend pas ainsi. Hercule a erré des semaines sur les mers, il a souffert de la soif, de la faim, il a traversé tempête sur tempête. Mais cela ne suffit pas à la déesse jalouse. Elle ne supporte pas que la reine des Amazones rende la tâche si simple à Hercule. Elle vole de l'Olympe jusqu'à terre, et sous l'apparence de la sœur d'Hippolyté, elle parcourt le palais, les rues alentour et toute la ville de Thémiscyra en hurlant :

– Les étrangers sont venus pour enlever Hippolyté ! À l'attaque !

Aussitôt, des centaines de femmes bondissent sur leurs selles, arcs et flèches en main. C'est la ruée vers le port. Le fracas des sabots qui martèlent le sol et les cris de guerre parviennent jusqu'aux hommes rassemblés autour d'Hercule. Ils serrent nerveusement leurs épées, leurs haches, leurs javelots. Autour de la reine, les Amazones empoignent leurs flèches. Hercule et Hippolyté se regardent, soudain méfiants : qui a trahi l'autre ?

Héra ne leur laisse pas le temps de réfléchir. Toujours sous les traits de la sœur d'Hippolyté, elle tire la première flèche. Un homme s'effondre, blessé à mort. C'est la violence qui l'emporte, précipitant hommes et Amazones les uns contre les autres.

Satisfaite, Héra quitte les lieux. Du haut de l'Olympe, elle regarde la bataille. Elle ne se soucie pas du sang qui se mêle à l'eau, elle n'entend ni les gémissements des humains ni les hennissements des chevaux blessés. Elle ne regarde que le combat entre Hippolyté et Hercule. Elle guette la mort de cet humain qu'elle déteste. Mais soudain, elle voit Hippolyté tomber à terre, Hercule se pencher, et, malgré tout ce qu'elle a tenté contre lui, elle le voit s'emparer de la précieuse ceinture…

7

Au Palais de Mycènes, Eurysthée se tourne et se retourne dans son lit. Impossible de trouver le sommeil. Le roi pensait avoir envoyé Hercule assez loin pour ne jamais le revoir. Pourtant le maudit cousin est rentré de chez les Amazones avec la ceinture. Tout Mycènes raconte son dernier exploit. Et toute la journée, Eurysthée a été obligé d'entendre ce qu'il ne voudrait surtout pas entendre : Hercule par-ci, Hercule par-là… Il est bien obligé de reconnaître que son cousin est plus populaire, plus célèbre qu'il ne le sera jamais. Et cette idée le rend malade de jalousie.

Eurysthée rejette les couvertures et se lève alors qu'il fait encore nuit. Il marche de long en large dans sa chambre tout en se répétant :

– Et maintenant, qu'est-ce que je vais pouvoir imposer à Hercule ?

Du haut de l'Olympe, Héra cherche elle aussi une autre épreuve insurmontable. Elle finit par trouver. Elle murmure à Eurysthée :

– Pour dixième travail, envoie-le chercher le troupeau de Géryon : son royaume s'étend à l'extrême Occident, au-delà du monde connu !

Hercule reçoit l'ordre.

– Toujours plus loin, se dit-il. Combien de temps, combien d'années encore devrai-je obéir à Eurysthée ?

Il se souvient du combat contre les Amazones, il regarde ses mains en tremblant : il sent bien que la violence n'est pas encore domestiquée en lui. Alors il sait qu'il doit encore se soumettre à Eurysthée.

Quand Hercule se met en route, il fait une telle chaleur qu'il se tourne vers le ciel en menaçant le soleil de son arc.

– Non ! dit le soleil. Ne tire pas !

Hercule détend son arc et le soleil se décide à lui prêter main forte pour son voyage vers l'extrême Occident : il met à sa disposition sa barque d'or. Hercule y prend place et file dix fois plus vite que sur le plus rapide de tous les bateaux à voile. Mais alors Okéanos, le dieu de la mer, se met à agiter dangereusement les flots. Même menace : Hercule sort une flèche et la pointe vers les eaux.

– Non ! dit l'océan. Ne tire pas !

Hercule détend son arc en échange d'une traversée tranquille.

Lorsqu'il atteint les limites du monde connu, voilà que la mer se met à rétrécir, comme si les terres allaient se refermer sur la barque et l'écraser. Mais Hercule ne veut pas rebrousser chemin. C'est le seul passage possible pour accomplir ce dixième travail. Il doit passer. Le détroit devient si serré qu'on peut toucher chaque bord en étendant les bras. Déjà, la coque de l'embarcation grince, prête à craquer. Hercule s'arc-boute de toutes ses forces contre la roche et pousse d'un côté puis de l'autre. Les parois reculent, ouvrant largement la mer. Le héros plante alors une colonne sur chacune des rives pour marquer le détroit de Gibraltar, qui sépare le monde connu de l'immense océan inconnu qui s'étend au-delà. On raconte qu'à partir de cette limite, s'il y a des êtres vivants, ils sont tous monstrueux.

Hercule arrive enfin dans l'île d'Érythie où habite Géryon. Il possède un troupeau magnifique de bœufs bien proportionnés. Ce ne sont pas des monstres, Hercule peut le vérifier, caché derrière un arbre.

Qui est Géryon ?

Au loin, un berger va et vient en les surveillant tandis qu'un chien le suit en reniflant par terre. Hercule le distingue mal mais il lui semble qu'il a une étrange allure. Le berger s'approche et appelle le chien par son nom :

– Orthros ! Ramène ! Aux pieds !

L'animal bondit et Hercule ne peut retenir un pas en arrière : le chien a deux têtes ! Malheureusement, le mouvement d'Hercule n'échappe pas à Orthros qui se jette sur lui en aboyant. Hercule ne peut éviter les crocs de la bête, mais ils dérapent sur la peau de lion qui lui sert de cuirasse. Le héros retrouve alors ses esprits et assène deux coups de massue à son agresseur, un pour chaque tête. Le berger subit le même sort que le chien. Il n'y a plus qu'à emmener les bœufs.

Hercule s'apprête déjà à un long voyage de retour quand, alerté par le bruit, un monstre surgit des broussailles alentour : c'est Géryon ! Avec ses trois têtes d'homme et ses trois immenses torses reliés entre eux à la taille, il s'avance vers Hercule. Le géant difforme lance un défi à son adversaire : un combat singulier où chacun a le choix des armes. Et Géryon agite fièrement ses six bras autour de lui : il se battra à mains nues. Hercule frémit en voyant cette espèce de pieuvre humaine capable de le broyer. Le seul moyen de lui échapper, c'est de se tenir le plus loin possible. Il choisit l'arc.

Au signal, Géryon se propulse d'un bond tout près d'Hercule et lance ses bras comme des tentacules. Le héros n'a que le temps de tendre son arc. D'une seule et terrible flèche il transperce les trois corps de Géryon, mais le géant a encore la force de lancer un bras autour de la cuisse de son adversaire. Hercule sent un frisson le parcourir, mais le bras du géant glisse le long de sa jambe et retombe au sol. Géryon est vaincu.

Hercule compare avec effroi les six mains sans vie du monstre avec ses propres mains. Combien de temps devra-t-il encore obéir à Eurysthée pour que s'apaise le monstre qu'il sent encore en lui, sa propre violence ?

Sur le chemin du retour, alors qu'il longe la mer au sud des Gaules, Hercule se trouve à court de flèches. C'est le moment que choisit une bande de voleurs pour s'attaquer au troupeau !

Hercule sait que s'il ne ramène pas les bêtes à Eurysthée, ce travail ne comptera pas et il devra rester soumis encore plus longtemps à son cousin. Alors le héros s'adresse directement à Zeus, le suppliant de lui envoyer de l'aide. Aussitôt, une pluie de pierres tombe du ciel dans la plaine de la Crau. Hercule ramasse les projectiles et met en fuite ses voleurs.

Plus loin, alors qu'il dort en Italie sur les bords du Tibre, les plus beaux animaux du troupeau disparaissent. Au réveil, Hercule cherche partout les bêtes, envahi de nouveau par la crainte d'échouer. Il suit bien des traces, mais comme par magie, elles reviennent toutes vers lui au lieu de s'éloigner : or les bêtes ne sont pas avec lui. Que signifie ce prodige ? Les animaux sont-ils devenus invisibles ? Soudain, Hercule entend un mugissement loin derrière lui. Il se retourne et suit à nouveau les traces, en sens inverse. Il se trouve face à face avec un homme à peine humain. Ce n'est pas son corps gigantesque qui impressionne Hercule, mais son regard de bête sauvage.

À l'odeur de lait caillé qui se dégage de lui, Hercule pense avoir affaire à un berger. Il lui demande son nom. Le géant bredouille :

– Mmmf… Cacus…

– N'as-tu point vu de magnifiques bœufs par ici ? demande Hercule.

– Mmm ? Hon…

Le berger articule à peine avec sa grosse voix de paysan. Il danse d'un pied sur l'autre en regardant Hercule par en dessous et secoue la tête en répétant :

– Hon… Hon… Pas vu… Mmmf…

À peine a-t-il cessé de parler que des meuglements étranges retentissent dans l'air, des meuglements déformés, amplifiés, comme si des fantômes de bœufs se plaignaient. Et Hercule ne voit toujours rien ! Cacus, lui, s'appuie de tout son poids contre une paroi rocheuse qu'il a dissimulée derrière des feuillages fraîchement coupés. Il en a également jeté sur le chemin.

Saisi d'une inspiration, Hercule soulève les feuillages. Dessous, les traces de sabots sont nettement visibles, mais elles partent de la paroi ! Et de nouveau, les meuglements amplifiés retentissent. Les bêtes ne sont pourtant pas dans la roche ! Hercule écarte Cacus, arrache les feuillages et comprend tout : c'est l'entrée d'une grotte que le berger a cachée en la bouchant avec un énorme rocher !

Le héros se jette sur Cacus qui finit par avouer sa ruse : il a tiré les bœufs par la queue, les menant à reculons vers la grotte, son repaire, brouillant ainsi le sens de l'orientation d'Hercule.

Une fois rentré en possession des bêtes, Hercule revient victorieux à Mycènes.

8

– Il faut cueillir les pommes d'or du jardin des Hespérides !

En recevant l'ordre du onzième de ses travaux, Hercule reste muet de stupéfaction. Le jardin des Hespérides ? Mais personne ne sait où il se trouve ! Peut-être même n'existe-t-il pas ! Une légende raconte que Gaia, la déesse Terre, offrit en cadeau à Héra des pommes d'or qu'elle plaça dans un jardin merveilleux sous la surveillance des trois filles du Soir Qui Tombe, les Hespérides. De plus elle enroula autour du pommier qui les portait un gardien redoutable, un dragon à cent têtes nommé Ladon et elle chargea Atlas, le géant qui vivait dans les parages, de construire un haut mur autour du jardin. Le mur, le géant, le dragon, rien de tout cela n'effraie Hercule. Ce qui le laisse désemparé, c'est le lieu : où chercher ?

– Si le jardin n'est qu'une légende, cela signifie que je suis condamné à errer jusqu'à la fin de ma vie. Je n'échapperai jamais à cet esclavage au service d'Eurysthée…

Hercule réfléchit à tout ce qui lui est arrivé jusqu'à présent. Oui, la violence qu'il n'avait pas su maîtriser en lui quand il était jeune l'a conduit à un crime atroce. Et cette force qu'il sent toujours en lui, comme il voudrait être sûr de la mettre toujours au service du bien ! Y arrivera-t-il un jour ? Chercher le fameux jardin, user ces restes de violence jour après jour en parcourant la surface de la terre, c'est peut-être le moyen qu'il doit essayer ? Les Hespérides… Les filles du Soir Qui Tombe… C'est le seul indice dont il dispose : une direction. Il s'en va donc, peau de lion sur le dos, massue et arc en mains, loin vers le couchant.

Hercule marche des jours et des jours. Il traverse une fois de plus plaines, rivières, montagnes, bras de mer. Un jour qu'il réfléchit à l'embouchure d'un fleuve, deux nymphes sortent des eaux et lui disent :

34

– Viens ! Nous allons te conduire auprès de Nérée, le vieillard de la mer. Lui qui sait tout sait où se trouve le jardin des Hespérides. Mais il ne parle pas volontiers… Il faudra ruser.

Et méfie-toi, il a plus d'un tour dans son sac !

– Qu'importe ! Je suis prêt à essayer.

– Alors suis-nous si tu n'as pas peur.

Les deux nymphes plongent au plus profond des eaux. Hercule descend à leur suite jusque dans une grotte sous-marine où dort un vieillard à barbe blanche, étendu sur un lit d'algues. Les nymphes le désignent du doigt tout en faisant signe à Hercule de ne pas faire de bruit. Le héros saisit Nérée à bras le corps, mais le vieillard encore ensommeillé glisse comme un poisson. Hercule assure sa prise. Du coup, Nérée se réveille complètement et tente d'échapper à son agresseur d'une manière imprévisible : Hercule se rend brusquement compte que maintenant, c'est un dauphin qu'il serre de toutes ses forces contre lui ! D'étonnement, il aurait lâché prise si les deux nymphes ne lui avaient crié :

– Tiens bon ! C'est par ses métamorphoses que Nérée réussit toujours à s'échapper !

Hercule serre tout à tour contre lui un paquet d'algues, une méduse, un serpent de mer. À chaque transformation de son adversaire, il serre un peu plus fort tout en nageant hors de la grotte. Quand il atteint la surface, Hercule tient de nouveau dans ses bras un vieillard, mais cette fois trop faible pour se défendre :

– Par les dieux ! Lâche-moi, ô fils de Zeus ! Je ne peux quitter la mer sans mourir !

Effectivement, Nérée paraît à bout de souffle comme un poisson hors de l'eau. Hercule, sans lâcher prise, lui parle doucement :

– Je ne te veux aucun mal. Dis-moi une seule chose et je te rendrai la liberté : quel est le chemin pour aller au jardin des Hespérides ?

– Ce jardin est une île qui dérive dans la mer, au-delà des colonnes d'Hercule que tu as toi-même plantées sur le détroit de Gibraltar. Mais sache-le, si tu détaches les pommes de l'arbre, tu ne reviendras jamais de ce jardin !

– Pourquoi cela ?

– Tu as dit : une seule chose ! Lâche-moi maintenant !

– Pourquoi ? Réponds !

Mais Nérée s'affaiblit, incapable de parler davantage. Hercule le lâche au moment où il se transforme une dernière fois, en une trombe d'eau glacée qui regagne les profondeurs.

Hercule reprend sa route. Il désire trouver le

jardin et en même temps il redoute ce moment. Quel mystérieux pouvoir l'empêcherait de quitter l'endroit une fois les pommes cueillies ? Quel sortilège se cache dans les fruits, dans l'arbre ou dans le jardin lui-même ?

Hercule ne marche plus vers le couchant. A-t-il abandonné l'espoir de réussir le onzième de ses travaux ? Non. Mais il a besoin d'un long cheminement pour trouver ce qu'il doit faire. Un jour qu'il fait l'ascension du mont Caucase, il s'aperçoit qu'un aigle plane au-dessus de lui. Est-ce un signe ? Au fur et à mesure qu'il grimpe, Hercule entend des gémissements de plus en plus déchirants. Et quand il atteint le sommet de la montagne, il voit l'aigle en train de dévorer le foie d'un malheureux géant enchaîné au rocher. Ses cris de douleur font pitié à Hercule. Il tire une flèche qui abat l'aigle d'un seul coup. Le géant lui demande :

– Es-tu fils de Zeus ? Je m'appelle Prométhée. J'ai dérobé aux dieux le feu sacré pour en faire don aux hommes, voilà pourquoi Zeus m'a puni ainsi. Mais il est dit qu'un héros fils de Zeus devait me délivrer. Est-ce toi ?

– C'est bien moi, je suis Hercule, fils de Zeus.

– Si tu me libères, tu pourras me demander ce que tu voudras.

Hercule détache les chaînes de Prométhée et lui parle du jardin des Hespérides. Le géant lui dit :

– Surtout, ne touche pas les pommes tant qu'elles sont attachées à l'arbre. Sinon un sortilège d'Héra te fera tout oublier, et tu resteras pour toujours dans le jardin, sans savoir qui tu es ni pourquoi tu es là.

– Comment faire, alors ?

– Le mieux est de ne pas pénétrer toi-même dans le jardin. Débrouille-toi pour les faire cueillir par Atlas, le géant qui habite là-bas…

Hercule reprend sa route. Tandis qu'il marche, il se pose inlassablement la même question : 36
comment persuader Atlas de cueillir les pommes et de les lui donner ? Il est tellement absorbé 37
qu'il combat presque sans y penser les différents monstres qu'il trouve sur sa route. Seul le géant Antée le sort de sa rêverie. Antée défie et tue tout ce qui passe sur son territoire. Comme il reprend des forces chaque fois qu'il touche la terre, il trouble ses ennemis en se relevant plus fort après chaque chute. Mais Hercule est rusé.

Que doit rapporter Hercule du jardin des Hespérides ?

Il soulève le géant au-dessus de lui, le prive de tout contact avec le sol et Antée finit sa vie, étouffé dans les bras du héros.

Lorsque Hercule arrive enfin au jardin des Hespérides, rien n'est comme il s'y attendait. Les murs du jardin sont si hauts qu'on ne voit rien de l'autre côté : ni les pommes d'or, ni les Hespérides, ni le dragon enroulé sur l'arbre. Quant au géant Atlas, il est à l'extérieur du jardin, terriblement occupé à porter le poids du globe terrestre sur ses épaules. Il n'y a aucun combat à livrer. Ni la force ni les armes ne peuvent quoi que ce soit. Il faut réfléchir et comprendre. Et le long chemin qu'a parcouru Hercule lui a donné le temps de réfléchir. Il s'adresse ainsi à Atlas :

– Le monde est-il lourd ?

– Plus lourd que tu ne peux imaginer. C'est un fardeau écrasant…

– Si je le portais à ta place un moment, me rendrais-tu un service ?

38

Atlas est prêt à tout pour un moment de répit. Si Hercule tue le dragon d'une flèche, alors Atlas acceptera d'aller cueillir les pommes. Hercule grimpe sur le mur, et la vision du jardin est d'une telle douceur qu'il se sent tout d'un coup incapable de penser à quoi que ce soit d'autre qu'à vivre dans ce jardin.

– Alors, c'est fait ?

Heureusement, Atlas, de sa grosse voix, arrache Hercule à la vision qui le fascine. Si le jardin fait aux humains un tel effet lorsqu'ils le voient, que dire lorsqu'ils sont dedans ! Hercule vise le dragon et l'abat d'une seule flèche. Puis il vient prendre le monde sur ses épaules tandis qu'Atlas se faufile dans le jardin.

Lorsqu'il ressort, les pommes à la main, le géant dit à Hercule :

– Tu t'en sors très bien avec le monde… Tu as vraiment une force extraordinaire pour un humain ! Tout compte fait, je te propose de porter le monde quelques mois… ou quelques années pendant que je vais aller moi-même porter les pommes à Eurysthée…

Intérieurement, Hercule frémit. S'il allait rester là jusqu'à la fin des temps ? Mais il ne laisse rien paraître. Il répond :

– Tu m'as rendu un fier service ! Je ne peux rien te refuser ! Et c'est un honneur de porter ainsi le monde entier. Bon voyage !

Tout heureux, Atlas s'apprête à partir. Au dernier moment, Hercule le rappelle :

– Avant de t'en aller, pourrais-tu me caler un coussin sur la nuque, je serais plus à mon aise !

Atlas s'approche avec le coussin demandé et tente de le glisser entre les épaules et le globe. Peine perdue.

– Attends, dit Hercule. Tiens-moi le monde pendant que j'installe correctement ce coussin.

Atlas pose les pommes sur le sol, s'accroupit et le globe terrestre bascule de nouveau sur ses épaules. Au bout de quelques secondes, il interpelle Hercule :

– Alors, c'est fait ? Tout est-il en place maintenant ?

– Parfaitement ! dit Hercule. Les pommes d'or des Hespérides sont à leur place dans mes mains et toi... tu es à ta place sous le globe terrestre !

9

Le temps est venu d'imposer à Hercule son douzième et dernier travail. Or rien sur cette terre ne semble capable de l'arrêter. Héra sait qu'ensuite, elle perd tout espoir de se venger d'Hercule. Il lui faut donc trouver quelque chose d'inouï, quelque chose qui soit hors de portée des mortels. Et quoi de plus insoutenable pour un mortel que la mort elle-même ? C'est ainsi que le dernier travail ordonné par Eurysthée tombe du haut des remparts de Mycènes :

– Il faut descendre aux Enfers, et en ramener le chien Cerbère, gardien des morts.

Or le seul chemin pour aller au royaume des morts, c'est de perdre la vie. Et comment, une fois mort, capturer Cerbère et revenir parmi les vivants ?

– Impossible. Eurysthée me condamne à ne jamais revoir la lumière du soleil, se dit Hercule. Il me condamne à mourir !

Mais Athéna n'abandonne pas celui qu'elle

protège depuis si longtemps. Suivant ses conseils, Hercule se rend au sanctuaire d'Éleusis. Là, il apprend combien les ombres des morts sont tristes. Il apprend le chemin solitaire, le vieux passeur, la rivière souterraine, la désolation qui règne dans ce monde glacé qui ne voit jamais le jour. Ainsi il saura résister à la tristesse qui l'attend dans le royaume des morts. 40

Hercule se rend ensuite dans le Ténare, où une faille immense s'ouvre dans la croûte terrestre. Au moment de quitter le monde ensoleillé, il s'arrête, saisi par l'angoisse : s'il ne revenait jamais ? S'il restait prisonnier de la mort ? Alors Hermès, le messager de la déesse Athéna, lui prend la main et le guide à travers les rochers pour descendre dans le monde souterrain. Plus un brin d'herbe, plus un bruit, à part l'écho des pas solitaires.

Conduit par Hermès, Hercule arrive au bord d'une rivière aux eaux noires, le Styx, où sont massées des ombres transparentes : des morts qui attendent une barque pour passer dans l'autre monde. À la vue d'un être bien vivant, en chair et en os, elles s'éparpillent comme des nuages. Face à lui, Hercule trouve Charon, le passeur des âmes. Le vieillard aux yeux terribles le regarde comme s'il lisait au fond de lui.

– Que viens-tu faire ici, toi qui n'es pas mort ? Retourne d'où tu viens avant que je ne prenne ta vie !

La voix est profonde comme si elle sortait d'un tombeau. Hercule en frissonne d'effroi, mais il n'a pas le temps de répondre. Hermès ordonne :

– Laisse passer ce vivant sur la rive où ne vont que les morts.

– J'espère que là-haut les dieux savent ce qu'ils font ! grommelle Charon.

Sur l'autre rive, le monde est encore plus lugubre. On n'entend que les gémissements du vent et ceux des âmes, on ne distingue que des ombres qui errent sans but, tête basse. Hercule croit reconnaître ici un ami, là un parent, ses enfants peut-être, et il est ému à en pleurer. Mais dès qu'il veut s'approcher, les ombres s'effacent dans le néant. Toute sa vie repasse devant lui. Il se dit : à quoi bon ? Si Hermès n'était pas avec lui, peut-être aurait-il abandonné tout espoir de retourner à la lumière du jour.

Hercule et son guide arrivent jusqu'au trône du dieu des morts, Hadès. Il se tient gravement assis, comme une statue de bronze.

– Que viens-tu faire en ces lieux, ô Hercule ? Le temps de la mort n'est pourtant pas venu pour toi !

La voix fait frissonner Hercule. Il sait qu'un jour cette voix lui demandera des comptes sur la mort de ses enfants. Que pourra-t-il répondre, s'il n'arrive pas à se libérer de la violence qui rend l'homme plus proche d'une bête que d'un être humain ? Hadès incline la tête lorsque Hercule prononce les noms d'Eurysthée et d'Héra :

– Cerbère ? Il est à toi… Je te le donne, à condition que tu t'en empares à mains nues, sans massue ni flèches !

Hercule accepte la condition. Il part à la recherche de l'animal qui terrifie les morts et leur interdit le passage pour remonter au jour. Quand il aperçoit des yeux phosphorescents, il sait qu'il a trouvé. Pas deux yeux, mais six car Cerbère a trois têtes, trois gueules aux crocs acérés, et une queue pourvue d'un harpon de fer. Le héros capable d'étouffer le lion de Némée, l'hydre de Lerne et le géant Antée, capable de maîtriser le sanglier d'Érymanthe, le taureau de Crète et tant d'autres monstres se saisit de Cerbère. Il ne lâche pas prise malgré les coups de queue qui tentent de le blesser. Cerbère se débat entre ses bras, comme la violence se débat en lui. Hercule sent que s'il réussit à maîtriser le chien des Enfers à mains nues, il sera aussi capable de dominer le bouillonnement des forces qui grondent en lui. Alors, son esclavage cessera. Cerbère se tord, essaie de mordre, frappe avec le harpon de sa queue, mais Hercule l'immobilise de ses bras puissants. Épuisé et vaincu, le chien abandonne enfin la lutte. Hercule a dompté le chien des Enfers.

Quand il réapparaît à l'air libre en sortant de la fissure du Ténare, Hercule est blessé mais vivant. Le temps s'est assombri, comme si Cerbère emportait avec lui la nuit du monde souterrain, et les gens fuient sur le passage de cet étrange attelage, le chien des morts porté sur le dos d'Hercule.

Eurysthée ne veut pas croire que son cousin ait pu réussir un pareil exploit. Il attend en haut des remparts, pour voir de ses propres yeux, et ce qu'il voit le terrifie. Il se met à claquer des dents, et sans se soucier de sa réputation de roi, il s'enfuit avec un hurlement de terreur et se réfugie au fond de sa jarre de bronze. Peut-être y est-il encore ?

Que faire de Cerbère ? Hercule prend la meilleure décision. Ce chien de l'ombre n'a qu'à retourner à l'ombre. Là est sa place. Que les vivants l'oublient jusqu'au jour où ils iront pour toujours au royaume d'Hadès. Une nouvelle fois, Hercule descend aux Enfers tout vivant, afin de ramener Cerbère. Mais cette fois, il y va le cœur léger : son esclavage a pris fin. Travail après travail, il a conquis la maîtrise de lui-même.

Après toutes ses épreuves, Hercule continue de parcourir le monde et accomplit bien d'autres exploits en faveur de l'humanité. Sa renommée grandit chez les hommes.

Et dans l'Olympe, qu'en est-il de la guerre entre les dieux ? La haine d'Héra est-elle éternelle ? Hercule a tant combattu ! Ne mérite-t-il pas de vivre en paix désormais ? La colère d'Héra finit par céder, car un jour, Hercule

•••••

Que fait Eurysthée en voyant Cerbère ?

décide de fonder quelque chose de grand, quelque chose qui assure la paix entre les dieux et entre les hommes. Il invite tous les héros à le rejoindre au centre de la Grèce, dans la plaine d'Olympie, et déclare :

– Que tous les quatre ans les hommes cessent de se battre sur les champs de bataille. Qu'ils se réunissent en l'honneur de Zeus, pour des épreuves de toutes sortes : de la lutte, de la course, du saut !

Ainsi Hercule fonde-t-il les Jeux Olympiques. C'est sans doute son plus bel exploit. Il donne à tous l'espoir qu'un jour les hommes ne s'affronteront plus dans la violence ou dans la guerre, mais qu'ils apprendront à se dominer et à se mesurer fraternellement entre eux par la force, l'endurance et le courage.

1
happé
Entraîné violemment.

2
faire irruption
Entrer brusquement.

3
inerte
Qui ne bouge plus.

4
se **soumettre**
Se mettre aux ordres de quelqu'un.

5
une **alliée**
Personne qui apporte son aide à une autre.

6
humilié
Honteux quand on est rabaissé par les autres.

7
invincible
Qu'on n'a jamais pu vaincre.

8
le **mufle**
Extrémité du museau de certains animaux.

9
désemparé
Qui ne sait plus que dire, ni que faire.

10
dépecé
À qui on a enlevé la peau.

11
une **jarre**
Vase de très grande taille.

12
des **volutes**
Spirales formées par la fumée.

13
un **bruit de succion**
Bruit qu'on fait en aspirant quelque chose.

14
le **chuintement**
Chuchotement accompagné de sifflement.

15
un **bruit flasque**
Bruit que fait quelque chose de mou en tombant.

16
se contorsionner
Se tordre dans tous les sens.

17
sanguinaire
Qui aime faire couler le sang par cruauté.

18
un **sacrilège**
Crime contre les dieux.

19
une **battue**
Rassemblement de chasseurs pour attraper un animal.

20
l'œil **injecté de sang**
Œil coloré par le sang à cause de la violence ou de la colère.

21
confusément
De manière vague, imprécise.

22
une **brèche**
Ouverture, passage.

23
parjure
Qui n'a pas fait ce qu'il avait juré de faire.

24
un **éperon** rocheux
Rocher qui avance et domine le paysage.

25
calciné
Brûlé et noirci par le feu.

26
s'agripper
Se tenir fermement à quelque chose.

27
éperonner
Piquer pour faire avancer. Dans l'histoire, avec des coups de talon.

28
donné en **pâture**
Donné à manger.

29
crisser
Faire un bruit aigu.

30
sceller
Confirmer la paix et l'amitié, par des cadeaux dans l'histoire.

31
la **ruée**
Mouvement de foule où tout le monde se précipite au même endroit.

32
s'arc-bouter
Forcer de tout son poids en se penchant.

33
asséner
Frapper violemment.

34
une **nymphe**
Jeune divinité de la nature (eaux, forêts...).

35
une **trombe** d'eau
Grosse quantité d'eau qui tombe avec force.

36
inlassablement
Sans cesse.

37
absorbé
Concentré, pris dans ses pensées.

38
le **répit**
Le repos.

39
inouï
Si extraordinaire qu'on n'en a jamais entendu parler.

40
un **sanctuaire**
Lieu de culte, lieu sacré.

41
lugubre
Triste et sombre.

42
acéré
Très pointu et coupant.

Les aventures du rat vert

- 1 Le robot de Ratus
- 3 Les champignons de Ratus
- 6 Ratus raconte ses vacances
- 8 Ratus et la télévision
- 15 Ratus se déguise
- 19 Les mensonges de Ratus
- 21 Ratus écrit un livre
- 23 L'anniversaire de Ratus
- 26 Ratus à l'école du cirque
- 29 Ratus et le sapin-cactus
- 36 Ratus et le poisson-fou
- 40 Ratus et les puces savantes
- 46 Ratus en ballon
- 47 Ratus père Noël
- 50 Ratus à l'école
- 54 Un nouvel ami pour Ratus
- 57 Ratus et le monstre du lac
- 1 Ratus chez le coiffeur
- 2 Ratus et les lapins
- 9 Ratus aux sports d'hiver
- 13 Ratus pique-nique
- 23 Ratus sur la route des vacances
- 27 La grosse bêtise de Ratus
- 38 Ratus chez les robots
- 41 Ratus à la ferme
- 46 Ratus champion de tennis
- 56 Ratus et l'œuf magique
- 60 Ratus et la barbu turlututu
- 8 La classe de Ratus en voyage
- 12 Ratus en Afrique
- 16 Ratus et l'étrange maîtresse
- 26 Ratus à l'hôpital
- 29 Ratus et la petite princesse
- 31 Ratus et le sorcier
- 33 Ratus gardien de zoo
- 47 En vacances chez Ratus

Les aventures de Mamie Ratus

- 7 Le cadeau de Mamie Ratus
- 39 Noël chez Mamie Ratus
- 3 Les parapluies de Mamie Ratus
- 8 La visite de Mamie Ratus
- 31 Le secret de Mamie Ratus
- 5 Les fantômes de Mamie Ratus

Ralette, drôle de chipie

- 10 Ralette au feu d'artifice
- 11 Ralette fait des crêpes
- 13 Ralette fait du camping
- 18 Ralette fait du judo
- 22 La cachette de Ralette
- 24 Une surprise pour Ralette
- 28 Le poney de Ralette
- 38 Ralette, reine du carnaval
- 45 Ralette, la super-chipie !
- 51 Joyeux Noël, Ralette !
- 56 Ralette, reine de la magie
- 4 Ralette n'a peur de rien
- 6 Mais où est Ralette ?
- 20 Ralette et les tableaux rigolos
- 44 Les amoureux de Ralette
- 48 L'idole de Ralette
- 11 Ralette au bord de la mer
- 34 Ralette et l'os de dinosaure

Les histoires de toujours

27 Icare, l'homme-oiseau
32 Les aventures du chat botté
35 Les moutons de Panurge
37 Le malin petit tailleur
41 Histoires et proverbes d'animaux
49 Pégase, le cheval ailé
26 Le cheval de Troie
32 Arthur et l'enchanteur Merlin
36 Gargantua et les cloches de Notre-Dame
43 La légende des santons de Provence
49 Les malheurs du père Noël
52 À l'école de grand-père
21 L'extraordinaire voyage d'Ulysse
27 Robin des Bois, prince de la forêt
36 Les douze travaux d'Hercule
40 Les folles aventures de Don Quichotte
46 Les mille et une nuits de Shéhérazade
49 La malédiction de Toutankhamon
50 Christophe Colomb et le Nouveau Monde

Super-Mamie et la forêt interdite

42 Super-Mamie et le dragon
43 Le Noël magique de Super-Mamie
44 Les farces magiques de Super-Mamie
48 Le drôle de cadeau de Super-Mamie
59 Super-Mamie et le coiffeur fou
39 Super-Mamie, maîtresse magique
42 Au secours, Super-Mamie !
45 Super-Mamie et la machine à rétrécir
50 Super-Mamie, sirène magique
57 Super-Mamie, dentiste royale
37 Le mariage de Super-Mamie
39 Super-Mamie s'en va-t-en guerre !

L'école de Mme Bégonia

11 Drôle de maîtresse
14 Au secours, le maître est fou !
16 Le tableau magique
25 Un voleur à l'école
33 Un chien à l'école
47 Bonjour, madame fantôme !

La classe de 6^e^

14 La classe de 6e et les hommes préhistoriques
17 La classe de 6e tourne un film
24 La classe de 6e au Futuroscope
30 La classe de 6e découvre l'Europe
35 La classe de 6e et les extraterrestres
42 La classe de 6e et le monstre du Loch Ness
44 La classe de 6e au Puy du Fou
48 La classe de 6e contre les troisièmes

Collection Ratus Poche

Collection Ratus Poche

Les imbattables

54 La rentrée de Manon
58 Barnabé est amoureux !
55 Le chien de Quentin
61 Le courage de Manon

Baptiste et Clara

30 Baptiste et le requin
35 Baptiste et Clara contre le vampire
37 Baptiste et Clara contre le fantôme
40 Clara et la robe de ses rêves
51 Clara et le secret de Noël
53 Les vacances de Clara
59 Clara fait du cinéma
22 Baptiste et Clara contre l'homme masqué
32 Baptiste et le complot du cimetière
38 Clara superstar
41 Clara et le garçon du cirque
43 Clara, reine des fleurs
45 Clara et le cheval noir

Les enquêtes de Mistouflette

9 Mistouflette et le trésor du tilleul
30 Mistouflette sauve les poissons
34 Mistouflette et les chasseurs
5 Mistouflette et les tourterelles en danger
24 Mistouflette enquête au pays des oliviers
1 Mistouflette contre les voleurs de chiens
7 Mistouflette et la plante mystérieuse

Francette top secrète

52 Mystère à l'école
53 Drôle de momie !
55 Mission Noël
58 Enquête à quatre pattes

Conception graphique couverture : Pouty Design
Conception graphique intérieur : Jean Yves Grall • mise en page : Atelier JMH

Imprimé en France par Pollina, 85400 Luçon - n° L47649
Dépôt légal n° 30592 - Août 2008